KB075958

아침이 들려주는 행복이야기

정영호 사진작가 지음

그냥 넘어가세요

아침이 들려주는 행복 이야기
정영호 사진 에세이

발 행 | 2024년 7월 1일
저 자 | 정영호
펴낸이 | 한건희
펴낸곳 | 주식회사 부크크
출판사등록 | 2014.07.15.(제2014-16호)
주 소 | 서울특별시 금천구 가산디지털1로 119 SK트윈타워 A동 305호
전 화 | 1670-8316
이메일 | info@bookk.co.kr

ISBN | 979-11-410-9177-4

www.bookk.co.kr

CONTENT

프롤로그

출근길의 바쁜 아침, 문득 공원 벤치에 앉아 계신 82세 할머니와 잠시 이야기를 나누게 되었다. 할머니는 이제 앞으로 2~3년 더 살 것 같다며 행복하게 웃으셨다. 그 미소 속에는 세월의 무게와 함께 쌓인 깊은 지혜가 담겨 있었다. 나는 할머니에게 남은 삶에서 꼭 하고 싶은 일이 무엇인지 물었다. 할머니는 조급해하지 말라며 따뜻하게 미소 지으셨다.

이 짧은 만남은 내게 삶의 본질에 대해 다시금 생각하게 했다. 시간이 얼마 남지 않았다는 생각에도 불구하고 그것을 두려워하거나 서두르지 않고 매 순간을 온전히 살아가는 것이 얼마나 중요한지 깨닫게 되었다. 할머니의 미소는 인생의 아름다움을 일깨워 주는 작은 등불 같았다.

작년 9월 대중교통을 이용해 삼양동으로 출퇴근하면서 나는 삼양동의 숨겨진 이야기와 그곳 주민들의 삶을 발견하게 되었다.

삼양동의 주민 중에는 40년 이상 심지어 50년, 60년을 살아온 분들이 많다. 어떤 분은 50년 넘게 미용실을 운영해 오셨다고 한다. 그분들은 예전의 삼양동 모습을 이야기하며 지금은 정말 살기 좋은 곳이 되었다고 기뻐하신다. 60년 전 아무것도 없던 이곳에 이제는 사람들이 모여 즐겁게 살아가는 모습을 보니 자신들이 일궈놓은 땅에 대한 자부심과 보람을 느끼신다.

삼양동은 오랜 세월을 함께해 온 사람들이 많아서인지 모두 행복하고 즐거워 보였다. 그들은 자신들이 가꿔온 이 땅에 사람들이 모여 사는 것만으로도 충분한 보상을 받고 있다고 느끼시는 것 같다.

출근하면서 나는 그분들이 만든 삼양동의 모습을 매일 카메라에 담으며 이곳의 숨겨진 아름다움을 발견했다. 처음에는 낯설기만 했던 삼양동의 골목길들이 이제는 나에게 소중한 이야기를 들려주는 친구 같은 존재가 되었다. 그리고 매일 출퇴근하면서 서울의 사람 사는 모습을 카메라에 담았다. 아침 일찍 출근하면서 만나는 사소한 풍경들이 나를 기쁘게 했다. 이른 아침 상점 앞에서 하루를 준비하는 가게 주인, 학교로 향하는 아이들의 밝은 웃음소리, 바쁘게 움직이는 사람들의 발걸음 이 모든 것들이 나에게는 행복을 주었다.

이 사진 에세이는 내가 삼양동과 서울 곳곳에서 만난 일상의 아름다움을 독자들과 함께 나누고자 하는 마음에서 시작되었다. 삼양동의 어른들처럼 모두가 매일매일 작은 행복을 느끼며 살아갔으면 하는 소망을 담았다. 아침 일찍 출근하며 만난 사소한 풍경들이 나를 기쁘게 했듯이 이 책을 읽는 당신도 그 기쁨을 함께 느꼈으면 좋겠다. 페이지를 넘길 때마다 당신도 삼양동의 따뜻한 골목길을 함께 걷고 그 속에서 살아 숨 쉬는 사람들의 이야기에 공감하게 되길 바란다. 삶의 작은 순간들 속에서 행복을 찾는 법을 삼양동의 풍경을 통해 함께 배우며 모두가 행복한 하루를 보낼 수 있기를 희망한다.

정영호 사진작가

제 1 화. 빛의 터널

우이신설경전철에 발을 디디며, 나는 단순히 열차에 오른 것이 아니라 빛과 관점의 마법에 의해 변모된 터널을 여행하게 되었다. 지하 터널의 어둡고 단조로운 벽이 장노출 카메라의 도움으로 갑자기 색과 선의 교향곡으로 폭발했다.
어둡고 칙칙했던 터널은 녹색, 빨간색, 흰색 빛줄기가 합쳐져 경이로운 가능성과 아름다움의 그림을 그리는 눈부신 배열로 변했다. 평범함이 웅장해지고 일상이 특별해지는 순간이 단지 다른 시각으로 바라보는 것만으로 가능해졌다.
삶은 종종 목적지가 멀고 길이 불분명한 어두운 터널을 통과하는 것처럼 느껴진다. 그러나 이 여정 속에서 중요한 교훈을 얻는다. 가장 예상치 못한 곳에서도 아름다움과 희망을 찾을 수 있다는 것이다. 어둠 속에서도 빛이 존재하며 혼란 속에서도 예술이 있다.

당신에게 매일 아름다움의 가능성을 지니고 있다는 것을 기억하세요. 희망은 우리가 선택하여 볼 수 있다면 항상 존재합니다.

우이신설경전철 안에서 카메라 장노출로 찍은 터널의 철로

우이신설경전철 안에서 카메라 장노출로 찍은 터널의 철로

우이신설경전철의 터널

제 2 화. **변함없는 사랑 부모님의 발걸음을 따라**

낡은 골목길을 걷는 두 사람의 뒷모습은 마치 내 부모님의 이야기 같다. 세월이 흘러도 변함없는 사랑과 헌신으로 가득한 그들의 삶을 보여주는 것 같다. 아버지는 손수레를 밀며 무거운 재활용품을 하나하나 모아 차곡차곡 쌓아 올린다. 어머니는 힘겨운 짐을 묵묵히 옮기며 아버지의 곁을 지킨다. 이 두 분의 발걸음은 마치 인생의 굽이 굽이를 함께 헤쳐 나가는 모습과 닮아 있는 것 같다.

포근한 겨울옷을 입고 찬 바람을 막아줄 모자를 눌러쓴 모습은 서로를 배려하는 따뜻한 마음을 담고 있다. 아버지의 단단한 어깨와 어머니의 부드러운 손길은 서로의 힘이 되어주며 어떤 어려움도 함께 이겨낼 수 있는 용기를 준다. 집으로 돌아가는 길마다 쌓여가는 재활용품은 그들의 노력이 빚어낸 소중한 결실이다.

어릴 적 부모님은 늘 우리를 위해 고생하셨습니다. 아버지는 늦은 밤까지 일을 하시고 어머니는 늘 정성을 다해 가족을 돌봐주셨죠. 그분들의 헌신 덕분에 우리는 지금의 행복을 누리고 있습니다. 이 골목길을 걸어가는 두 사람의 모습에서 부모님이 우리를 위해 흘리신 땀과 눈물이 떠오릅니다. 그분들의 사랑은 언제나 변치 않고 우리의 마음속에 깊이 새겨져 있습니다.

삼양동 골목길

제 3 화. 희망을 밝혀주는 사랑 부모님의 빛

차가운 겨울밤 낡은 골목길을 따라 계단 위로 올라가는 모습은 마치 부모님의 삶을 상징하는 듯하다. 어둠 속에서도 은은한 빛이 길을 비추며 이 길을 걷는 이들에게 희망과 안식을 주고 있다. 그 빛은 우리를 위해 항상 애쓰셨던 부모님의 사랑과 같다. 어릴 적 부모님은 우리를 위해 힘든 일도 마다하지 않으셨다. 어머니는 이른 새벽부터 저녁 늦게까지 집안일을 하셨고 아버지는 힘든 일을 하시면서도 가족을 위해 묵묵히 일하셨다. 그분들의 손길은 언제나 따뜻하고 그들의 눈빛에는 언제나 희망이 깃들어 있었다. 이 골목길의 불빛은 부모님의 사랑과 헌신을 떠올리게 한다. 비록 어두운 밤이 찾아와도 그분들의 따뜻한 마음은 우리의 길을 밝혀주었다.

힘든 순간에도 우리를 위해 빛이 되어 주셨던 그분들의 사랑을 기억하며 우리도 그 사랑을 되돌려 드리길 바랍니다. 부모님의 헌신과 사랑이 있었기에 오늘의 우리가 있음을 잊지 말고 항상 감사하는 마음으로 하루를 보내세요.

삼양동 골목길

제 4 화. 다시 힘차게 달릴 수 있을 거야

온 세상이 새하얀 순백으로 변하며 고요한 침묵 속에 시간도 잠시 멈춘 듯하다.
눈 속에 잠든 자전거들은 하얗게 덮인 눈의 무게를 견디며 서로에게 기대고 있다.
우리도 힘든 순간에는 서로에게 기대어 살아간다.
하얀 눈으로 덮인 자전거의 녹색 바퀴가 마치 희망의 불빛처럼 빛나며 새로운 시작을 예고한다.

'추운 겨울이 지나면 따뜻한 봄이 오듯 어려운 시기도 결국 지나가고 우리는 다시 힘차게 달릴 수 있을 거야.'

북한산우이역 따릉이 정류장

제 5 화 . 버스 창가에서 피어나는 희망의 빛

찬바람이 스며드는 겨울 아침, 출근길에 오르는 사람들의 모습은 저마다의 사연을 간직한 채 하루를 시작한다.
버스 안, 창밖으로 비치는 불빛들은 새로운 시작을 알리는 희망의 빛처럼 보인다. 이른 아침부터 하루를 준비하는 사람들의 얼굴에는 작은 기대와 설렘이 가득하다. 차가운 공기 속에서도 서로를 배려하며 조용히 자신의 목적지로 향하는 이 순간 우리는 그들 안에 숨겨진 작은 꿈들을 엿볼 수 있다.

잠시 멈추어 주위를 둘러보세요. 당신이 지나치는 거리와 사람들 속에는 수많은 이야기가 숨어있습니다. 오늘도 묵묵히 자신의 길을 걸어가는 모든 이들에게 따뜻한 응원과 격려를 보냅니다. 버스 창가에서 피어나는 희망의 빛처럼 여러분의 하루도 빛나길 바랍니다.

삼양동 가는 버스 안에서

제 6 화. 밤의 축제 과일 속에 담긴 행복

밤하늘 아래 활기차게 빛나는 거리, 알록달록한 과일과 달콤한 향기가 가득한 이 시장은 마치 동화 속 한 장면을 떠올리게 한다. 반짝이는 불빛 속에서 탐스러운 딸기, 포도, 과일꼬치가 나를 맞이한다.
각기 다른 색과 향을 가진 과일들이 마치 작은 축제처럼 어우러져 우리의 눈과 입을 즐겁게 해 준다. 특히 빨갛게 익은 딸기들이 줄지어 늘어선 모습은 보기만 해도 입가에 미소를 짓게 만든다.

이곳을 거닐며 마음속 작은 기쁨을 하나씩 발견해 보세요. 우리가 마주치는 모든 과일 하나하나에는 상인들의 정성과 자연의 풍요로움이 담겨 있습니다. 이 행복한 순간들을 기억하며 우리도 일상에서 작은 기쁨을 찾아 나선다면 오늘 하루는 분명 더 특별해질 것입니다.

명동 골목길

제 7 화. 북한산 자락의 겨울

눈 덮인 작은 골목길, 그 뒤로 우뚝 솟은 북한산이 마치 평온한 보호자처럼 서 있다. 흰 눈이 소복이 쌓인 지붕들과 골목을 따라 자리한 집들은 조용한 휴식 속에 잠겨 있다.

골목 끝에서 바라본 산의 풍경은 한없이 고요하고도 웅장하다. 눈길을 따라 걷다 보면, 발밑에서 느껴지는 부드러운 눈의 감촉이 마음을 편안하게 해 준다.

오늘 하루도 이 골목길처럼 맑고 평온한 마음으로 시작해 보세요. 세상이 주는 작은 아름다움과 기쁨들을 놓치지 않고 느껴보는 것입니다. 우리의 삶은 때로는 작고 평범해 보일지 모르지만, 그 안에는 무한한 가능성과 따뜻한 행복이 숨어있습니다.

우이경전철 솔샘역

제 8 화. 비 내리는 밤 희망을 비추는 골목길

비 내리는 밤, 좁은 골목길은 고요하고 차분하다. 길을 따라 늘어선 가로등이 비를 맞으며 희미한 빛을 발하고, 그 빛은 젖은 길바닥에 반사되어 더욱 신비롭게 느껴진다. 빗방울이 떨어지는 소리가 조용한 골목을 가득 채우며 마음을 차분하게 만들어 준다.

빨간 우산을 쓴 한 사람이 골목길을 걸어간다. 그가 걸어가는 발자국마다 물웅덩이가 일렁이고 우산 위로 떨어지는 빗소리가 은은하게 들려온다. 이 순간 골목길은 세상과 단절된 작은 섬처럼 느껴진다.

어두운 밤과 비 내리는 날씨 속에서도 우리는 빛을 찾아 나갈 수 있다. 가로등의 따스한 불빛은 우리가 가야 할 길을 비추고 비에 젖은 골목길은 삶의 소소한 아름다움을 보여준다.

때로는 이렇게 조용한 시간과 공간 속에서 우리의 마음을 정리하고 새로운 희망을 찾을 필요가 있다. 비가 내리는 이 밤이 지나고 나면 맑은 아침이 찾아올 것이다. 그리고 그 아침은 우리에게 새로운 시작과 희망을 안겨줄 것이다.

오늘도 그리고 내일도 우리는 각자의 길을 걸어갑니다. 비가 내리는 밤에도 밝은 아침에도 우리의 여정은 계속됩니다. 우리의 삶은 계속해서 빛나는 길을 찾아 나갈 것입니다.

삼양동 골목길

제 9 화. 세상은 우리의 작은 손길로도 충분히 아름다워질 수 있습니다.

이 손은 우리에게 많은 것을 주었다. 힘들 때마다 내밀어 준 도움의 손길 그리고 끝없는 사랑. 이 손은 수많은 순간을 견뎌내며 우리에게 희망과 용기를 주었다. 그 모든 순간이 모여 지금의 우리를 만들어 주었다.

오늘 하루 이 사진을 마음에 새기며 주변 사람들에게 따뜻한 손길을 내밀어 보세요. 작은 친절이 큰 행복을 가져올 수 있습니다. 이 손처럼 우리도 누군가에게 희망과 기쁨을 줄 수 있기를 바랍니다.
세상은 우리의 작은 손길로도 충분히 아름다워질 수 있습니다.
행복하고 기분 좋은 하루 보내세요.

기도하는 어르신의 손

제10화. 작은 순간들이 모여 우리의 인생을 완성 시킵니다.

파란 문 앞에 서 있는 이 순간 우리의 상상력을 자극하고 새로운 세계로 가는 입구를 열어준다.
문은 시간이 흘러감에 따라 닳고 색이 바래졌지만, 그 속에 담긴 이야기는 더욱 깊어졌다. 우리의 삶처럼 때로는 거칠고 때로는 부드럽게 삶의 흔적들이 곳곳에 묻어나 있지만 그 자체로 소중한 역사와 기억을 간직하고 있다.
문 위에 붙어 있는 작은 종이는 우리의 주의를 끈다. 누군가가 남긴 작은 흔적 그것은 삶의 작은 순간들을 기억하라는 메시지처럼 다가온다. 우리가 하루하루 살아가며 만나는 작은 순간들 그 순간들이 모여 우리의 인생을 완성한다.

오늘 하루 이 파란 문을 떠올리며 작은 순간의 아름다움을 발견해 보세요. 희망과 꿈이 가득한 세상은 멀리 있지 않습니다. 바로 우리의 일상에 우리의 마음속에 존재합니다. 이 문을 열고 나아가며 더 밝고 행복한 하루를 맞이할 수 있기를 바랍니다.

삼양동 골목의 작은 문

제 11 화. 당신의 마음속 색깔은 무엇인가요?

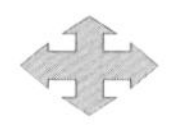

도시의 밤은 단 하나의 색을 띠지만 그 속에서 빛나는 각양각색의 조명들은 우리에게 다양한 얼굴을 보여준다.
사진 속 좁은 골목도 그렇다. 붉은빛과 푸른빛 그리고 노란빛이 어우러져 꿈속을 걷는 듯한 신비로운 분위기를 자아낸다.
우리의 삶도 이와 같지 않을까. 하나의 인생이지만 우리는 각자 원하는 색을 선택해 살아간다. 어떤 이는 붉은 열정을 어떤 이는 푸른 평온을 또 어떤 이는 노란 희망을 선택할 것이다. 빛이 골목을 물들이듯 우리의 선택이 인생을 채워 간다. 이 도시의 밤길을 걸으며 우리는 각자의 색으로 물든 삶을 상상할 수 있다. 모든 선택이 모여 하나의 아름다운 풍경을 이루는 것처럼 우리의 다양한 선택들이 모여 인생을 더욱 풍요롭게 만든다.

오늘 하루 당신의 마음속 색깔은 무엇인가요? 그 색깔로 하루를 채우며 행복한 희망을 품고 기분 좋은 하루를 보내길 바랍니다. 도시의 다양한 빛처럼 당신의 인생도 각양각색의 아름다움으로 가득 채워지길 바랍니다.

서울 명동 골목길

제 12 화. 소박한 따뜻함의 시작 희망을 전하는 가게

새벽 공기의 차가움 속에서 장사하는 사람의 따뜻한 손길로 가득한 작은 가게가 있다. 신발과 간식들이 정성스럽게 진열된 이곳은 지나가는 사람들에게 미소와 작은 행복을 전한다.

일상에 지친 발걸음을 멈추고 신발들을 구경하며 저마다의 꿈과 희망을 떠올려 본다. 어쩌면 그 신발들은 누군가의 새로운 시작을 위한 첫걸음이 될 수도 있고 간식들은 가족과 친구들과 따뜻한 시간을 위한 준비일지도 모른다.

오늘도 따뜻한 하루를 보내길 기원합니다.

남대문 시장

제13화. 선물로 시작되는 소중한 순간들

좁고 긴 시장 골목에 포장지 종이가 가득 쌓인 가게가 있다. 벽 한가득 가지런히 정리된 색색의 포장지들은 마치 한 폭의 그림처럼 아름답게 펼쳐져 있다. 각기 다른 무늬와 색상을 가진 포장지들이 오고 가는 사람들의 시선을 사로잡는다.
가게를 지나는 사람들은 발걸음을 멈추고 포장지를 구경하며 저마다의 상상과 추억을 떠올린다. 어떤 포장지는 소중한 선물을 담아 사랑하는 이에게 전해질 것이고 어떤 포장지는 특별한 날을 기념하는 데 사용되어 행복한 순간을 만들어 줄 것이다.

오늘도 자신만의 소중한 순간을 준비하며 따뜻한 마음을 느끼길 바랍니다. 소박하지만 깊은 사랑이 가득한 이 시장에서 하루하루가 희망으로 가득 채워지길 기원합니다.

남대문 시장

제 14 화. 행복을 덤으로 주는 작은 가게

새벽 출근길 바쁜 일상에 조용히 숨겨진 작은 가게를 발견했다.
가게 주인은 따뜻한 미소로 손님을 맞이할 준비를 하고 있다.
따뜻한 커피 한 잔과 달콤한 꿀 호떡을 즐길 수 있는 작은 공간은 손님들이 잠시 머물며 쉴 수 있는 여유를 제공한다.
벽에는 주인의 정성이 담긴 여러 장식과 함께 예전의 추억을 떠올리게 하는 사진들이 걸려 있다. 작은 가게지만 그 안에는 큰 행복이 숨어있다.
지나가는 사람들은 이 가게 앞에서 잠시 멈추고 따뜻한 커피 한 잔과 함께 하루의 피로를 날려 보내고 서로의 이야기를 나누고, 따뜻한 음식을 나누며 웃음을 되찾는다.
그 순간 우리는 알게 된다. 행복은 큰 것이 아니라 이렇게 작은 일상에서 발견될 수 있다는 것을.

바쁜 일상에서도 작은 행복을 찾아보세요. 오늘도 이 작은 가게처럼 여러분의 하루가 따뜻하고 행복한 순간들로 가득해지길 바랍니다.

남대문 시장

제15화. 건어물 시장 삶의 맛과 향기

새벽 출근길에 을지로 골목길을 따라 걷다 보면 건어물 시장의 향기가 코끝을 간지럽힌다. 이곳에는 오래된 역사와 수많은 이야기가 피어난다. 그중에서도 눈에 띄는 것은 정갈하게 묶인 생선들이다. 정성스럽게 손질된 생선들은 가지런히 줄을 서서 그들만의 이야기를 들려주고 있는 것 같다. 매일 아침 이곳을 찾는 사람들은 신선한 생선의 냄새와 함께 하루를 시작한다.
가게 주인은 늘 밝은 미소로 손님들을 맞이하며 정성스레 생선을 골라준다. "오늘은 이 생선이 정말 좋아요." 손님들은 마음에 드는 생선을 고르고 그 작은 선택이 하루를 더욱 풍요롭게 만든다. 이곳 건어물 시장은 바쁜 현대인들에게 잠시나마 느림의 미학을 선사한다.

오늘도 이 건어물 시장의 생선들처럼 정갈한 마음으로 하루를 시작해 보세요. 작은 것에서 느낄 수 있는 기쁨이 여러분의 하루를 더욱 풍성하게 만들 것입니다. 삶의 작은 순간들이 모여 큰 행복이 되듯 오늘 하루도 소중한 순간들로 가득 채워지길 바랍니다.

을지로 건어물 시장

제 16 화. 나란히 선 수레처럼 잠깐의 쉼

작은 골목길 한편 세월의 흔적을 고스란히 간직한 두 대의 수레가 나란히 서 있다. 낡고 투박한 외관에도 불구하고 묵묵히 제 역할을 다하는 모습이 우리 삶의 굴곡을 닮았다. 수많은 짐을 싣고 거친 길을 지나온 것처럼 우리도 각자의 인생길에서 무수한 경험과 감정을 짊어지며 앞으로 나아간다.
수레 위에 덧대어진 나무판은 거친 세상을 부드럽게 감싸는 우리의 마음을 상징하는 듯하다.
옆에 놓인 의자는 잠시 쉬어가라는 인생의 메시지를 전하는 듯하다. 바쁜 일상에서 잠시 멈추어 숨을 고르고 지나온 길을 되돌아보며 앞으로 나아갈 힘을 얻으라는 따뜻한 위로가 느껴진다.

여러분도 각자의 삶 속에서 이러한 작은 여유와 위로를 찾기 바랍니다. 오늘도 수레처럼 묵묵히 지신의 길을 걸어가는 여러분에게 행복과 희망이 가득한 하루가 되기를 소망합니다.

을지로 골목길

제 17 화. 깨끗한 도시와 함께 시작하는 하루

조용한 아침 거리 햇살이 부드럽게 비추는 이른 시간에 우리는 종종 보이지 않는 영웅들을 만난다. 도심의 골목길을 지나는 이 쓰레기 수거차는 하루를 깨끗하고 산뜻하게 시작하게 하는 중요한 역할을 한다.
상점 간판들이 즐비한 거리, 아직 상인들이 문을 열기 전의 평화로운 시간 쓰레기 수거차는 바쁘게 움직인다. 그 뒤를 따르는 깨끗한 도로는 우리에게 새로운 하루의 시작을 알린다.

이 평범한 장면 속에는 사람들의 노력과 배려가 담겨 있다. 우리가 하루를 시작할 때 깨끗한 거리는 그 자체로 우리에게 소중한 선물이 된다. 이런 작은 배려가 모여 우리가 더 나은 하루를 보낼 수 있게 한다.

우리도 일상에서 작은 배려를 나눈다면 이 도시처럼 우리의 삶도 더 깨끗하고 아름답게 빛날 것입니다. 오늘도 주변의 작은 것들에 감사하며 마음속 작은 기쁨을 하나씩 발견해 보세요. 평범한 일상에서 특별한 순간을 찾아가는 여러분의 하루가 되기를 바랍니다.

명동 골목길

제18화. 붉게 물든 새벽 희망의 첫 햇살

고요한 새벽 붉게 물든 하늘이 도로 위로 내려앉아 일렁인다. 잠시 신호등 앞에서 멈춰 선 저마다의 사연을 가진 사람들은 오늘 하루를 어떻게 맞이할지 생각에 잠긴다.
다리 위로 부드럽게 드리운 첫 햇살이 빛을 뿌리며 희망의 메시지를 전해준다.
우리에겐 무수한 길들이 열려 있고 그 끝에는 무궁무진한 가능성이 기다리고 있다.

행복은 바로 우리 곁에 있습니다. 우리가 그것을 발견하고 마음에 새길 수 있다면 말 입니다. 행복한 희망을 품고 기분 좋은 하루를 보내길 바랍니다.

용인 광역버스 정류장

제19화. 물방울 속 희망

작은 물방울 하나하나에 세상이 담겨 있다. 맑고 투명한 물방울 속에서 우리가 사는 공간과 시간이 작은 우주처럼 반짝인다.
물방울들은 비록 작지만, 그 안에는 끝없는 가능성과 희망이 숨어있다.
물방울들은 저마다의 이야기와 꿈을 간직하고 있는 듯하다.
우리가 바라보는 세상이 얼마나 다채롭고 깊이 있는지를 다시 한번 일깨워 준다.

오늘 하루도 이 물방울처럼 맑고 투명한 마음으로 시작해 보세요. 세상이 주는 작은 선물들을 발견하고 그 속에서 행복과 희망을 찾아보는 것입니다. 우리의 삶은 때로는 물방울처럼 작고 연약해 보일지 모르지만, 그 안에는 무한한 가능성과 따뜻한 빛이 숨어있습니다.

대학로 카페 창문으로 흐르는 물방울

제 20 화. 골목길 작은 빵집의 따뜻한 향기

따뜻한 빵 냄새가 가득한 작은 빵집 유리창 너머로 진열된 다양한 빵들이 오늘도 사람들을 기다리고 있다. 방금 구워져 나온 빵의 따뜻함과 고소한 향기가 골목길을 가득 채운다.
가게 앞에 놓인 다양한 빵들은 저마다의 이야기를 품고 있다. 빵 하나하나에 담긴 정성과 손길은 우리의 마음을 부드럽게 어루만진다. 바쁜 일상에서도 이 작은 빵집은 한 조각의 여유와 행복을 선사한다.

오늘 하루도 이 빵집처럼 따뜻하고 향기로운 마음으로 시작해 보세요. 세상이 주는 작은 기쁨들을 놓치지 않고 느껴보는 것입니다. 우리의 삶은 때로는 단순하고 소박해 보일지 모르지만, 그 안에는 무한한 행복과 사랑이 숨어있습니다.

삼양동 사거리 빵집

제 21 화. 도시의 밤 희망의 빛을 찾아서

비가 그친 도심의 밤 고요한 거리에 빛의 반짝임이 가득하다.
빌딩의 화려한 불빛이 물웅덩이에 반사되어 더욱 아름답게 빛난다. 건물 위에 비친 두 사람의 모습은 마치 비밀스러운 이야기를 속삭이는 듯하다.
이 도시의 밤은 우리가 놓치기 쉬운 작은 순간들을 특별하게 만들어 준다. 반사된 빛 속에 담긴 풍경처럼 우리의 삶도 반짝이는 순간들로 가득하다.

우리의 일상은 때로는 화려하지 않을지 모르지만, 그 안에는 무한한 가능성과 아름다움이 숨어있습니다. 반짝이는 도시의 불빛처럼 우리의 마음속에도 따뜻한 희망의 빛이 가득해지길 바랍니다.

서울역광장

제 22 화. 소소한 순간의 행복

일상의 소소한 순간 속에 행복이 숨어있다.
다양한 상품들이 정리되어 있는 이곳은 우리의 일상 속 작은 행복을 기억하고 있다.
이곳에서 우리는 가족과 함께 나누는 식사를 위한 재료를 고르고 긴 하루 끝에 자신을 위한 간식을 고르기도 한다.
색상의 다양성과 깔끔한 진열은 우리에게 무한한 행복을 상기시켜준다.

우리는 행복이 어디에나 있고 간단한 순간에서도 기쁨을 찾을 수 있다는 것을 상기해 보세요.

미아역 인근 가게

제23화. 따뜻한 빛으로 가는 길

어떤 길이든 끝에는 빛이 있다.

혹시 얼마나 길고 외로운 터널 같은 길이더라도 끝에서는 항상 따뜻한 품이 기다리고 있습니다.

아파트 주차장 가는 길

제 24 화. 희망을 향한 터널

터널 속의 길은 끝이 보이지 않지만, 그 어둠 속에서도 한 줄기 빛이 우리를 안내한다. 어딘가를 향해 힘차게 달려가는 기차처럼 우리의 삶도 그렇게 나아가고 있다. 길고 어두운 터널을 지나 마주할 환한 빛의 세상처럼 우리의 앞날도 밝고 희망차게 펼쳐질 것이다.

오늘 하루 이 사진을 보며 우리의 여정에 대한 믿음을 다져봅시다. 비록 지금은 터널 안에 있더라도 끝에는 반드시 빛이 기다리고 있음을 기억하세요. 그리고 그 빛을 향해 한 걸음씩 나아가며 오늘을 살아가 봅시다. 그러면 어느새 그 빛 속에 서 있는 자신을 발견하게 될 것입니다.

행복한 하루 보내세요.

우이신설경전철을 타고 가면서 바라본 터널

제25화. 그림자와 함께 걷는 출근길

푸른 하늘 아래 햇살이 비치는 따뜻한 날 바닥에 길게 드리워진 그림자는 어느 직장인의 모습이다. 그는 긴 하루를 시작하며 희망과 기대를 품고 길을 나섰다. 두 발은 확고히 땅을 디디고 있지만 그의 그림자는 마치 자유로운 영혼처럼 하늘을 향해 뻗어 있다.

오늘 하루도 희망을 품고 나아가길 바랍니다. 작은 발걸음이 모여 큰 여정을 이룰 것입니다. 희망과 기대를 품고 그림자가 함께해 주는 그 길을 걸어보세요. 밝은 미래가 여러분을 기다리고 있을 것입니다.

삼양사거리역 앞 골목길

제26화. 연결된 희망의 선들

복잡하게 얽혀있는 전선들이 하늘을 가로지르며 도시의 골목을 장식하고 있다. 처음 보면 지저분해 보일 수 있지만 이 선들은 우리 삶을 연결해 주는 중요한 역할을 한다. 그 끝에는 누군가의 집이, 가게가, 사무실이 있다. 모두가 이 전선들을 통해 세상과 소통하고 서로의 이야기를 나눈다.
전선들은 사람들 사이의 보이지 않는 인연처럼 느껴진다. 비록 눈에 띄지는 않지만 우리는 모두 어떤 형태로든 서로 연결되어 있다. 전선들이 얽히고설켜 있어도 각자의 역할을 다하는 것처럼 우리도 각자의 자리에서 서로에게 희망과 용기를 주고받으며 살아간다.
이 골목길을 걷다 보면 사람들의 삶의 흔적이 곳곳에 묻어나는 것을 느낄 수 있다.

지저분해 보일 수 있는 전선들이 사실은 사람들의 소통을 돕는 중요한 존재인 것처럼 우리도 서로의 삶에서 빛과 소리가 되어 주기를 바랍니다.
오늘 하루 이 전선들처럼 우리도 서로의 마음을 연결하며 따뜻한 희망을 나누는 날이 되기를 바랍니다.

삼양동 사거리 골목

제 27 화. 황량한 계단 위에 피어난 희망의 해바라기

햇살이 따스하게 내리쬐는 아침 낡은 계단 위로 홀로 서 있는 해바라기가 눈에 띈다. 바짝 마른 콘크리트 벽과 거칠고 바랜 돌계단 사이에서 피어난 그 모습은 마치 세상에 작은 기적을 선사하는 듯하다. 주위의 황량함과 대비되는 이 해바라기의 황금빛은 모든 시련과 역경을 이겨내고 아름답게 피어난 생명의 상징 같다.

해바라기를 바라보고 있노라면 우리 삶 속에서도 희망의 싹이 돋아날 수 있다는 믿음이 솟아오른다. 아무리 험난한 환경 속에서도 포기하지 않고 꿋꿋하게 자라난 이 꽃처럼 우리의 마음속에도 언제든지 희망의 씨앗이 자랄 수 있다. 그 씨앗이 어느 날 문득 피어나 우리를 환하게 비춰줄 것을 믿으며 오늘도 한 걸음씩 나아간다.

희망은 바로 우리가 일상에서 발견하는 작은 기적들 속에 숨어 있습니다. 이 해바라기의 모습이 그러하듯이 우리의 하루하루가 빛나는 희망으로 가득 차길 바랍니다. 지금, 이 순간 여러분의 마음속에도 따스한 햇살과 함께 작은 해바라기가 피어나길 기원합니다.

삼양동 언덕 마을에 핀 해바라기

제 28 화. 뚝배기 한 그릇

세상에는 우리가 놓치기 쉬운 소소한 행복들이 가득하다. 사진 속 식당의 따뜻한 풍경을 보며 그 소소한 행복을 떠올려 본다. 김이 모락모락 나는 국, 정갈하게 담긴 밥, 그리고 정성이 느껴지는 반찬 한 접시, 모든 것이 간소하지만 그 안에 담긴 정성과 온정은 우리의 마음을 따뜻하게 만든다.
이 작은 식탁에서 느껴지는 사람들의 정은 바쁜 일상에서 잠시 멈춰서 서로의 이야기를 나누게 한다. 손님과 주인의 사소한 대화, 한 끼 식사를 나누며 오가는 미소 속에서 우리는 진정한 행복을 찾을 수 있다.

오늘 하루 여러분도 작은 순간 속에서 행복을 발견하시길 바랍니다. 정성 어린 한 끼의 식사처럼 우리의 삶도 소소한 순간들이 모여 더 큰 행복을 이루어 가길 바랍니다. 따뜻한 국 한 그릇처럼 여러분의 하루도 온기로 가득 찬 기분 좋은 시간이 되시기를 바랍니다.

종로 낙원상가 국밥집

제29화. 파고다 공원의 따뜻한 아침

종로 파고다 공원의 아침은 아직 고요하다. 그리고 이곳에서 우리는 따뜻한 온기를 느낄 수 있다. 벽을 따라 길게 놓인 종이들 그리고 그 위에 적힌 이름들 이는 단순한 종이가 아닌 서로를 향한 배려와 희망의 상징이다.
이름이 적힌 종이들은 사람들의 자리이다. 차가운 아침 공기를 견디며 서로의 이름을 적어 놓은 사람들 그분들은 따뜻한 식사를 나누며 하루를 시작할 희망을 품고 있다. 서로의 이름을 대신 적어주는 모습에서 우리는 인간의 따뜻함과 연대를 느낄 수 있다.
이 풍경을 보며 우리는 작은 것에서부터 시작되는 희망을 떠올리게 된다. 누군가의 이름을 대신 적어주는 작은 배려, 함께 나누는 한 끼의 식사. 이런 작은 순간들이 모여 우리의 하루를 더 따뜻하게 만들어 준다.

오늘 여러분의 하루도 이처럼 따뜻한 순간들로 가득 차길 바랍니다. 작은 배려와 나눔이 우리의 삶을 더욱 풍요롭게 하고 서로에게 힘이 되는 하루가 되길 바랍니다.

파고다 공원에서 무료 급식을 기다리는 모습

제30화. 꿈을 지켜주는 작은 우산

비 오는 날 아침 작은 아이가 노란 오리들이 그려진 초록색 우산을 들고 초등학교로 향한다. 작고 귀여운 우산 아래에서 아이는 발걸음을 옮기며 세상에 한 발짝 더 가까워진다. 비가 내리는 날씨에도 불구하고 이 아이의 마음속에는 새로운 배움과 친구들을 만날 기대감으로 가득 차 있을 것이다.
아이의 작은 손에 쥐어진 우산은 마치 아이의 꿈과 희망을 지켜주는 보호막 같다. 비록 작은 우산이지만 그 안에는 무한한 가능성과 따뜻한 미래가 담겨 있다. 아이가 걸어가는 길에는 빗방울 소리가 동행하며 그 소리는 마치 아이의 꿈을 응원하는 속삭임처럼 들린다.

오늘 하루 비 오는 날에도 우산을 들고 당당히 나아가는 아이처럼 우리도 우리의 꿈을 향해 한 걸음씩 나아가길 바랍니다.

초등학교에 등교하는 학생

제31화. 일상 속 작은 여행 강북 10번 버스

도심의 분주한 거리에서 강북 10번 버스는 여느 때처럼 사람들을 실어 나른다. 초록색의 작은 버스는 도심 속 작은 여행자처럼 목적지로 향하는 사람들에게 잠시나마 휴식을 제공하고 있다.
버스 안에서는 각자의 이야기가 흘러나온다. 일터로 향하는 직장인, 학교로 가는 학생 그리고 장을 보러 가는 어머니까지 이 작은 공간 안에는 수많은 인생의 조각들이 담겨 있다. 그들의 표정 속에는 오늘 하루를 어떻게 보낼지에 대한 기대와 희망이 깃들어 있다.
창밖으로 스쳐 가는 풍경들은 매일 보던 것들이지만 오늘은 어쩐지 더 특별하게 느껴진다. 이른 아침의 상쾌한 공기와 함께 시작되는 하루 이 버스는 우리에게 새로운 시작을 알린다. 목적지에 도착하면 각자 다른 길을 걷겠지만 이 버스에서 나눈 순간들은 소중한 기억으로 남을 것이다.

강북 10번 버스는 그 자체로 일상의 소소한 행복을 실어 나릅니다. 오늘도 이 버스를 타고 희망과 함께 기분 좋은 하루를 시작해 보세요. 일상의 작은 여행이 여러분의 마음을 따뜻하게 만들어 줄 것입니다.

강북구 삼양동을 달리는 마을버스

제32화. 물방울 속의 초록빛 꿈

작은 물방울들이 유리창에 맺혀 있다. 그 안에는 마치 초록빛 꿈이 담겨 있는 듯하다. 물방울은 투명하지만, 그 안에 비친 세상은 다채롭고 깊이 있다.
물방울들은 우리가 삶에서 지나치는 소소한 순간들을 상기시켜준다. 바쁜 일상에서도 잠시 멈춰 서서 바라보면 이렇게 작은 것들 속에서도 깊은 아름다움과 평온을 발견할 수 있다. 물방울 하나하나가 우리의 마음을 맑게 하고 희망을 주는 메시지를 전달한다.
초록빛 꿈은 우리에게 항상 희망을 준다. 물방울이 증발하면 사라지지만 그 순간의 아름다움은 영원히 기억 속에 남는다.
우리의 하루도 이와 같을 것이다. 매 순간을 소중히 여기며 그 속에서 행복을 찾는다면 우리는 언제나 기분 좋은 하루를 보낼 수 있을 것이다.

오늘도 이 물방울처럼 맑고 투명한 마음으로 소중한 순간들을 간직하세요. 작은 것에서 시작되는 기쁨이 우리를 더 큰 행복으로 이끌어 줄 것입니다. 물방울 속 초록빛 꿈이 여러분의 하루를 더욱 밝고 희망차게 만들어 줄 것입니다.

삼양동 카페에서

제 33 화. 오랜 시간의 기억을 싣고 달리는 티코

아침 출근길 붐비는 도로 위에서 우연히 마주친 녹색 티코는 시간 여행을 온 듯한 느낌을 준다. 1991년 멋지게 나타난 이 작은 차는 변함없이 도로를 달리고 있다. 오랜 시간 동안 변하지 않은 모습에 마음 한쪽이 따뜻해진다.
이 티코는 단순한 자동차가 아니다. 나의 젊은 날의 꿈과 희망 그리고 도전이 담긴 시간의 상징이다. 수많은 날을 지나오면서도 여전히 꿋꿋하게 달리는 이 차는 우리의 삶과 닮았다. 때로는 힘들고 지치더라도 포기하지 않고 앞으로 나아가는 우리들처럼....
오늘도 이 티코는 과거와 현재를 연결하며 도로 위를 달리고 있다. 이 모습을 보며 우리도 여전히 희망을 품고 앞으로 나아갈 수 있음을 느낀다. 변하지 않는 것은 오직 우리가 품은 꿈과 그것을 이루기 위한 노력이다.

지금, 이 순간에도 티코는 우리에게 말합니다. "멈추지 말고 계속 나아가라. 시간은 흘러가지만 너의 꿈은 계속될 것이다." 오늘 하루도 이 티코처럼 소중한 추억을 가슴에 안고 새로운 희망을 품고 달려보세요. 오랜 시간의 기억을 싣고 달리는 티코처럼 우리의 삶도 그렇게 아름답게 이어질 것입니다.

출근 버스를 기다리는 중에 보게 된 티코

제 34 화. 희망이 피어나는 시장의 아침

이른 아침 시장 골목은 하루를 시작하는 사람들로 서서히 활기를 띠고 있다. 상점마다 반짝이는 간판들이 하나둘 켜지고 신선한 채소와 과일, 고기와 생선들이 정갈하게 진열된다. 각양각색의 상품들 사이를 걸으며 사람들은 소소한 일상의 행복을 만끽한다.
이곳에는 사람들의 삶과 이야기가 고스란히 담겨 있다. 정겹게 인사하는 상인들의 웃음소리, 장을 보는 사람들의 분주한 발걸음은 모두 이 시장을 살아 숨 쉬게 한다. 서로의 안부를 묻고 하루를 응원하는 따뜻한 말들이 오가는 이곳은 작은 희망의 공간이다.
시장의 풍경은 우리에게 작은 것에서 시작되는 큰 기쁨을 알려준다. 일상의 소소한 순간들 속에서도 우리는 충분히 행복할 수 있다.

오늘도 이 시장에서 서로의 마음을 나누고 희망을 전하며 기분 좋은 하루를 시작해 보세요. 작은 만남과 소통 속에서 피어나는 따뜻한 마음들이 우리의 삶을 더욱 풍요롭게 만들어 줄 것입니다.

아침 출근 시간 광장시장의 모습

제35화. 도시의 숨결을 담은 서울시티투어 버스

맑은 아침 노란색 서울 시티투어 버스가 도심 속에서 빛나고 있다. 이 버스는 서울의 역사와 문화 그리고 사람들의 일상을 실어 나른다. 바쁜 도심 속에서도 이 버스는 천천히 그러나 확실히 도시의 숨결을 담아가며 새로운 여행을 시작한다.
버스는 여행하는 사람들을 위해 각 정류장에서 내려 도시의 다양한 면모를 직접 느끼고 체험할 기회를 제공한다.
버스를 타고 이동하는 동안 바쁜 삶 속에서도 잠깐의 여유를 갖고 서울의 다양한 모습을 경험하면서 작은 행복을 느낄 수 있다.

오늘도 서울 시티투어 버스는 사람들에게 새로운 희망과 기쁨을 전합니다. 도심 속에서 작은 여행을 통해 우리는 일상에서 벗어난 특별한 순간을 경험하고 다시금 힘을 얻어 나갈 수 있습니다. 이 버스처럼 여러분의 하루도 새로운 발견과 즐거움으로 가득 채워지길 바랍니다.

동대문 역사문화공원역 앞 서울시티투어 버스

제36화. 비 오는 거리 반영의 희망

거리에 비가 내린 날 사람들은 우산을 들고 바쁘게 움직인다. 가게 간판들이 빛나고 물웅덩이 속에 반사된 모습은 또 다른 세상을 보여주는 듯하다.
이 작은 골목길은 비가 오면 더욱 생동감 있게 변한다. 사람들은 각자의 목적지를 향해 나아가지만 잠시 멈추어 반사된 풍경을 바라보면 마음속에 작은 여유와 평온이 찾아온다.
우리는 때로는 빠르게 지나가는 일상에서도 이러한 작은 순간들이 주는 기쁨과 위안을 느낄 필요가 있다.

비가 내린 거리는 여러분에게 새로운 희망과 꿈을 선물합니다. 비에 젖은 길을 걸으며 새로운 시작과 도전을 떠올려 보세요. 그 속에서 여러분은 분명히 행복한 순간을 발견할 수 있을 것입니다.

비 오는 날 아침 출근 시간 명동 골목

제 37 화. 시간의 흐름 속에서

거리에 홀로 서 있는 전화 부스는 마치 과거와 현재를 연결해 주는 타임머신 같다. 한때는 바삐 움직이는 사람들로 가득했을 이 장소에 이제는 조용히 그 자리를 지키고 있다. 그러나 이 전화 부스는 여전히 이야기를 간직하고 있다. 누군가에게는 긴급한 전화를 걸던 순간의 긴장감을 또 다른 누군가에게는 사랑하는 사람과의 짧은 통화를 통해 전해졌던 따스함을 떠올리게 한다.
이 작은 공간 안에서 수많은 감정이 오고 갔을 것이다. 우리가 걸어가는 길 위에서 이처럼 소중한 기억을 떠올릴 수 있는 장소를 만나는 것은 큰 행복인 것 같다.

오늘 하루 이 전화 부스처럼 여러분의 하루도 소중한 추억과 따뜻한 순간들로 가득 차길 바랍니다. 작은 것에서 행복을 찾고 그 속에서 희망을 발견하는 기쁨을 느껴보세요.

삼양동 출근길 도로 위에 서 있는 공중전화 부스

제 38 화. 골목길 계단에서 찾는 희망

이 골목길의 긴 계단은 우리의 인생길과 닮았다. 좁고 경사진 길을 따라 오르다 보면 때로는 숨이 차고 힘들어질 때도 있지만 꼭대기에 도달했을 때의 성취감과 보람은 그 무엇과도 바꿀 수 없는 소중한 경험이 된다. 계단 양옆의 집들과 가게들은 각자의 이야기를 담고 있으며 그 속에서 우리는 작은 행복과 따뜻함을 발견할 수 있다.

일상의 작은 골목길을 걷다 보면 각기 다른 삶의 모습들이 모여 하나의 큰 그림을 만들어 냅니다. 오늘 하루도 여러분의 인생이라는 계단을 한 걸음씩 올라가며 그 속에서 작은 기쁨과 희망을 찾아보세요. 힘든 순간이 있더라도 결국에는 꼭대기에서 바라보는 아름다운 경치를 만날 수 있을 것입니다.

기분 좋은 하루 보내세요.

삼양시장 앞 골목길

제39화. 녹색 문

밝은 노란 벽과 대비되는 녹색 문은 마치 새로운 이야기를 시작하는 책의 표지 같다. 그 속에는 다양한 이야기가 숨겨져 있을 것 같다.
문 옆의 오래된 배관과 붙어 있는 스티커들은 세월의 흔적을 보여주며 지나온 시간을 이야기한다. 세상은 늘 변하지만 이런 작은 공간들이 주는 따뜻함과 정겨움은 변하지 않는다.

이 문을 보며 작은 것에서 행복을 찾고 그 속에서 의미를 발견하며 오늘 하루도 기분 좋은 순간들로 가득 채우시길 바랍니다.

기분 좋은 하루 보내세요.

정독 도서관 가는 길

제40화. 동대문과 희망

고즈넉한 아침 웅장한 동대문 앞에서 한 사람이 담요를 덮고 잠들어 있다. 이 광경은 우리의 마음을 숙연하게 만든다. 한편으로는 강인한 역사의 상징이지만 다른 한편으로는 현재의 현실을 보여준다. 동대문은 오랜 시간 동안 수많은 변화를 겪으며 그 자리를 지켜왔다. 마찬가지로 우리도 각자의 자리에서 끊임없이 변화와 도전을 마주하며 살아간다.
이곳에서 잠들어 있는 사람도 언젠가는 새로운 날을 맞이할 것이다. 밤이 지나고 해가 떠오르면 그에게도 새로운 기회와 희망이 찾아오리라 믿는다. 우리의 삶 역시 때때로 어려움 속에 잠겨 있지만 동대문처럼 견뎌내고 이겨낼 수 있다.

오늘 하루 여러분의 마음속에도 희망의 빛이 떠오르길 바랍니다. 작은 친절과 따뜻한 마음으로 서로를 응원하며 더 나은 내일을 향해 나아가는 하루가 되길 기원합니다.

기분 좋은 하루 보내세요.

출근 시간인데 아직 일어나지 않고 있는 사람

제 41 화. 일상의 소소한 행복

거리를 가득 채운 알록달록한 간판들 그 속에서 저렴한 가격표가 눈에 띈다. 이발 4,000원 통닭 한 마리 4,500원 고물가 속에서도 여전히 서민의 일상을 지키고자 하는 따뜻한 마음이 느껴진다. 이 거리는 사람들로 붐비며 활기찬 에너지가 가득하다.
사람들은 이곳에서 소박한 일상을 즐기며 작은 행복을 찾는다. 이발과 맛있는 통닭 한 마리 그 속에서 느끼는 만족과 기쁨은 그 무엇과도 바꿀 수 없는 소중한 경험이다. 비록 세상이 힘들고 어려워도 이 작은 가게들은 우리의 삶에 희망을 불어넣어 준다.

오늘 하루도 이 거리의 활기찬 에너지를 느끼며 소소한 행복을 찾아보세요. 작은 것에서 큰 기쁨을 발견하고 그 속에서 희망을 찾는 하루가 되길 바랍니다.

기분 좋은 하루 보내세요.

이발
4,000
염색
6,000
이염
발색
통닭
생맥주
동대문
한국통닭
Korea Chicken
韓国全鸡 コリアチキン
★맛은 최고 가격은 최저
1마리 4,500
2마리 8,000
국내산 100%
우리 이발관
꼭 믿고 오세요
4,000원
5,000원
이발 : 염색 쌉니다
이발 : 4,000원
염색 : 최고급 : 6,000원
우리 이발관은 세계대회
출전하여 우수상을
수상받은 이발관입니다
국내산통닭 100%
1마리 4,500
2마리 8,000
3마리 11,000
소 주 3,500
생맥주 3,500
박걸리 3,000
24시간 영업합니다
의료기
스템프
인쇄
명함
복사
도장
약속 커피숍
2층
764-1100
대명직업정보
大上海
대상하이

동대문역 상가

제 42 화. 추억의 벽 사랑 이야기

벽을 가득 채운 작은 사진들은 수많은 이야기를 담고 있다. 웃음소리와 행복이 묻어나는 순간들이 사진 속에 고스란히 담겨 있다. 사진 한 장 한 장마다 소중한 사람들과 함께한 추억이 새겨져 있으며 그 순간들이 모여 하나의 큰 그림을 이루고 있다.
중앙에 자리한 흑백 사진 속 인물은 마치 과거와 현재를 연결해주는 듯한 느낌을 준다. 그녀의 우아한 모습은 시간이 흘러도 변하지 않는 아름다움과 가치를 상징한다. 사진 속 인물들이 남긴 순간들 역시 시간이 지나도 변하지 않는 소중한 기억으로 남을 것이다.

이 사진을 바라보며 우리도 일상에서 작은 순간들을 소중히 여겨야 한다는 것을 깨닫습니다. 친구와의 웃음, 가족과 따뜻한 시간, 사랑하는 사람과의 행복한 순간들을 놓치지 않고 간직해야 합니다. 오늘 하루 여러분도 작은 순간 속에서 큰 행복을 발견하고 그 속에서 희망을 찾길 바랍니다.

기분 좋은 하루 보내세요.

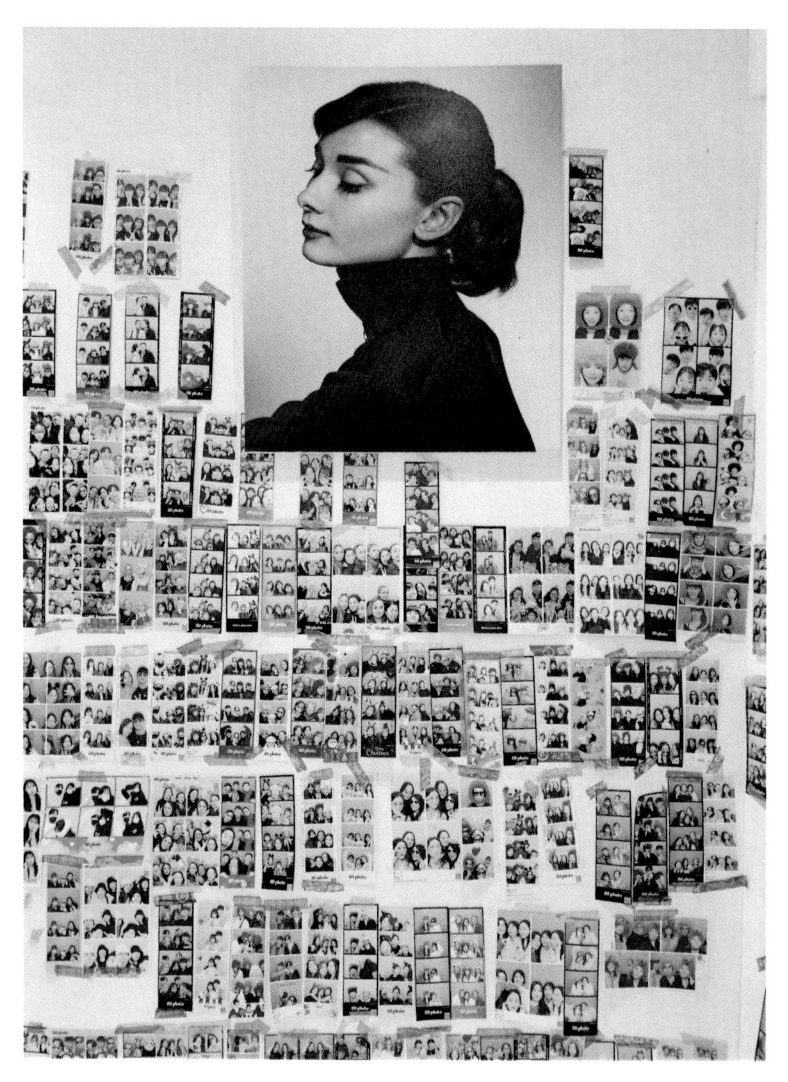

명동 골목 사진관의 풍경

제 43 화. 온기 우편함

따스한 햇살이 비치는 공원 한가운데 한 그루의 나무가 뿌리 내리고 있다. 나무 아래에는 노란색의 작은 편지함이 놓여 있다. 이 편지함은 '온기 우편함'이라 불리며 지나가는 이들의 마음을 담은 메시지를 기다리고 있다.
편지함 옆에는 작은 안내판이 있어 이 편지함의 역할을 설명하고 있다. "소중한 고민을 익명으로 보내주시면 손 편지로 답장을 전해 드립니다."라는 문구가 눈에 띈다. 이곳은 누구나 자신의 마음을 털어놓고 누군가의 따뜻한 응원을 받을 수 있는 공간이다.
누군가가 고민을 털어놓고 가벼운 마음으로 돌아갈 수 있는 이곳 따뜻한 응원의 메시지를 받아 더 나은 내일을 꿈꿀 수 있는 이곳, 온기 우편함은 단순한 편지함 이상의 의미를 지니고 있다. 우리의 마음을 나누고 서로에게 희망을 전하는 작은 다리가 되어준다.

오늘도 누군가는 이 편지함을 통해 마음의 짐을 덜고 또 다른 누군가는 응원의 메시지를 통해 희망을 얻을 것입니다. 그리고 그 작은 온기가 모여 우리는 더 밝고 따뜻한 세상을 만들어 갈 것입니다.

대학로 마로니에 공원 온기 우편함

제 44 화. 희망의 이정표

도시의 번잡함 속에서 문득 발걸음을 멈추게 하는 작은 기적이 있다. 길목에 서 있는 이정표는 다양한 색깔의 화살표를 가리키며 여러 방향을 안내하고 있다. 각 화살표에는 낯선 도시와 장소의 이름이 적혀 있어 이곳이 어디로든 연결될 수 있음을 상징한다. 나무로 만든 이정표는 마치 어린 시절의 모험심을 자극하는 듯하다. "저곳에는 어떤 이야기가 있을까?"라는 호기심을 불러일으킨다. 길을 잃을 수 없는 이 도시는 이렇게 우리에게 무한한 가능성을 제시한다. 어느 방향으로든 한 걸음을 내딛는 순간 새로운 세상이 펼쳐진다.
이정표 옆에 놓인 안내판은 이곳의 역사를 알려주며 길을 찾는 이들에게 작은 위안을 준다. 길은 언제나 열려 있으며 그 길 위에서 만나는 모든 순간은 소중하다는 것을 상기시킨다.
오늘도 이 길을 따라 사람들이 각자의 목적지를 향해 나아갈 것이다. 그 길 끝에서 기다리고 있는 것은 아마도 우리가 꿈꾸는 희망일 것이다.
이정표가 가리키는 방향들처럼 우리의 삶에도 수많은 선택지가 있다. 어느 길을 택하든 그 끝에서 만나는 모든 것이 우리를 더 나은 사람으로 만들어 줄 것이다.

“어디로 가든 당신의 길은 소중하고 그 길 위에서 만나는 모든 순간은 빛날 것입니다”.

동대문역사문화공원 인근 이정표

제45화. 반짝이는 도시의 밤

도시의 밤은 반짝이는 불빛들로 가득 차 있다. 물을 따라 걷는 사람들의 모습은 마치 영화의 한 장면처럼 아름답다. 각자의 이야기와 생각을 품은 채 이들은 도시의 소음과 함께 고요한 휴식을 즐기고 있다.

반짝이는 조명 아래 흐르는 물은 은은한 빛을 받아 반짝이고 그 빛은 물결을 타고 흘러간다. 사람들은 물가에 앉아 서로의 이야기를 나누며 웃음을 터트린다. 저마다의 고민과 꿈을 잠시 잊고 이 순간을 만끽하는 것이다.

다리 위로 오가는 사람들, 물가를 따라 걷는 이들 그리고 물가에 앉아있는 사람들 모두가 하나의 풍경을 만들어 낸다. 이곳은 그저 도시의 일부분이 아니라 마음의 안식을 찾는 작은 쉼터가 된다.

이 밤의 풍경은 우리에게 많은 것을 상기시킨다. 반짝이는 도시의 불빛처럼 우리의 삶에도 밝은 순간들이 있다는 것을 잊지 말자.

오늘도 그리고 내일도 각자의 자리에서 빛나는 순간을 만들어 가요. 서로에게 작은 희망의 불빛이 되어주는 이 시간이 우리 모두에게 큰 위로와 기쁨이 될 것입니다.

퇴근 시간 청계천의 풍경

제 46 화. 희망을 향한 우리의 길

도시의 고요한 저녁 하늘은 분홍빛 노을로 물들어 가고 있다. 높이 솟은 고가도로는 마치 하늘로 이어지는 길처럼 뻗어 있다. 그 위로 달이 서서히 모습을 드러내며 저녁의 평화를 더해준다.
고가도로 아래로는 사람들이 각자의 일상에서 분주히 움직이고 있다. 건물 사이로 보이는 불빛들이 하나둘 켜지기 시작하면서 도시는 밤을 맞이할 준비를 한다. 이 순간 하루의 끝자락에서 우리는 잠시 멈춰서 하늘을 올려다본다.
바쁜 일상에서도 이런 평화로운 순간을 만날 때면 마음은 자연스레 차분해진다. 하늘의 색이 바뀌는 것을 지켜보며 우리는 자연의 아름다움과 삶의 소소한 행복을 느낄 수 있다.
하루의 끝에서 우리는 새로운 시작을 준비할 수 있다. 저녁 하늘의 따뜻한 빛은 우리에게 내일의 희망을 심어주고 고가도로는 우리가 향해 가야 할 길을 보여준다.

오늘도 그리고 내일도 우리의 길은 계속됩니다. 이 순간의 아름다움을 기억하며 힘차게 나아가길 바랍니다.

수원 IC 버스정류장 버스에서 내려 바라본 하늘의 노을

제 47 화. 빛과 그림자가 어우러진 거리

꿈꾸는 듯한 순간들

비가 내린 후 도시의 거리는 반짝이는 불빛들로 더욱 생동감 있게 빛난다. 물웅덩이에 반사된 네온사인은 마치 또 다른 세계를 보여주는 창문처럼 신비롭다. 사람들은 두툼한 옷을 입고 걸음을 재촉하며 각자의 목적지를 향해 나아간다.
이곳에서 우리는 색다른 아름다움을 발견할 수 있다. 빗물이 만들어 낸 거울 속에서 우리는 잠시 현실을 잊고 꿈꾸는 듯한 느낌을 받을 수 있다.
사람들의 발걸음 소리, 거리의 음악 그리고 다양한 간판들이 만들어 내는 이 복잡한 하모니 속에서도 우리는 소소한 행복을 느낄 수 있다.

오늘도 이 거리를 걷는 사람들처럼 우리도 각자의 길을 걸어갑니다. 그리고 그 길 위에서 만나는 모든 순간이 우리의 삶을 더욱 풍요롭게 만들어 줄 것입니다. 비가 그친 후 맑아진 공기처럼 우리의 마음도 이렇게 맑아질 것입니다.

2월의 아침 명동 골목

제48화. 터널 끝의 빛, 희망을 향한 여정

어두운 터널 속 먼 끝에 빛이 보인다.
우리의 인생은 때로는 앞이 보이지 않는 긴 터널을 걷는 것처럼 느껴질 때가 있다. 하지만 그 끝에는 항상 빛이 기다리고 있다.
터널의 벽에는 시간이 남긴 흔적들이 고스란히 묻어 있다. 우리의 삶도 그렇다. 지나온 길마다 추억과 경험이 남아 있다. 벽을 따라 흐르는 전선과 구조물들은 우리를 지탱해 주는 사람들과 순간들을 떠올리게 한다. 우리는 결코 혼자가 아니다.
조용히 흐르는 기차 레일처럼 우리의 여정도 멈추지 않고 계속된다. 매일 조금씩 앞으로 나아가는 것이 때로는 어렵게 느껴질지라도 한 걸음 한 걸음이 결국은 우리를 빛으로 인도할 것이다.
이 터널을 지나면 새로운 시작이 기다리고 있다. 빛이 비치는 그곳에서 우리는 다시 한번 희망을 품고 새로운 하루를 맞이하게 될 것이다. 그 빛은 우리의 미래를 밝히고 우리의 마음에 따뜻한 온기를 불어넣는다.

오늘도 그리고 내일도 우리는 이 터널을 지나며 더 나은 내일을 향해 나아갑니다. 우리의 여정은 계속되고 그 끝에는 항상 빛이 기다리고 있습니다.

우이신설경전철을 타고 가면서 바라본 터널

제49화. 골목길 손수레에 담긴 희망

아침 햇살이 골목길을 부드럽게 감싸고 손수레를 끄는 한 남자가 천천히 걸어간다. 그의 손수레에는 종이상자가 가득 쌓여 있다. 이 상자들은 그가 밤새 모은 것들이다. 도시의 소음과 혼잡 속에서도 그는 묵묵히 자기 일을 해내고 있다.

손수레를 끌며 힘겹게 걸어가는 그의 모습에는 삶의 무게가 고스란히 담겨 있다. 매일 반복되는 고단한 일상에서도 그는 희망을 잃지 않고 가족을 위해 더 나은 내일을 위해 끊임없이 노력한다.

종이상자 하나하나에는 그의 땀이 배어 있다. 거리의 구석구석을 돌아다니며 모은 이 상자들은 그의 하루하루를 이어주는 소중한 자원이다. 사람들이 무심코 버린 것들이지만 그의 손을 거쳐 다시 새로운 가치로 태어난다.

그가 손수레를 끌고 골목을 걸어갈 때 나는 그의 뒤를 따르며 삶의 진정한 의미를 다시 생각해 본다. 그의 노력이 그의 땀이 우리 모두의 삶을 조금 더 따뜻하고 의미 있게 만들어 준다.

오늘도 우리 모두의 하루가 그의 손수레처럼 의미 있고 가치 있는 여정이 되기를 바랍니다.

출근 시간 명동의 골목을 깨끗하게 만들어 주는 리어카

제 50 화. 희망의 길

서울의 한 거리에서 눈에 들어오는 따뜻한 풍경. 바쁜 일상에서도 이곳엔 사람들의 발걸음을 멈추게 하는 무언가가 있다. 바로 송해 선생님의 동상과 그 앞에 세워진 안내판이다.
송해 선생님은 많은 이들에게 웃음과 희망을 주었던 인물이다. 그의 모습을 담은 동상과 안내판은 우리에게 “여기서 잠시 멈추어 쉬어가세요”라고 속삭이는 듯하다. 그의 미소는 지나가는 이들에게 삶의 따스함과 기쁨을 다시 한번 떠올리게 한다.

오늘 하루 이 사진을 통해 잠시나마 웃음을 되찾고 작은 희망의 씨앗을 심어보세요. 송해 선생님이 그러했듯이 우리도 서로에게 따뜻한 마음을 전할 수 있다면 세상은 더욱 아름다워질 것입니다. 행복한 하루 보내세요.

낙원상가 옆 송해길

제 51 화. 조용한 축제

도심 속 한적한 광장 이곳을 방문한 사람들에게 작은 축제의 느낌을 선물한다.
조용히 앉아 차 한 잔을 마시며 하루를 마무리하는 이 순간 우리는 비로소 진정한 여유를 느낄 수 있다. 빈 의자들이 우리를 초대하듯 언제든 이곳에 앉아 일상의 무게를 내려놓고 마음의 쉼을 얻을 수 있다.
이곳에서 느껴지는 평화로움은 우리에게 '오늘 하루도 수고했어요'라고 말해주는 듯하다. 저 멀리 전광판에 비치는 밝은 불빛처럼 우리의 내일도 밝고 희망차기를 소망한다.

오늘 하루 이 사진을 통해 잠시나마 마음의 여유를 찾아보세요. 그리고 이 작은 공간에서 느껴지는 따뜻한 기운을 가슴에 담아 행복한 하루를 보내시길 바랍니다.

돈의문 박물관 마을 광장

제52화. 녹색 문 앞에서

이 오래된 녹색 문은 마치 비밀을 품고 있는 듯 보인다. 약간 벗겨진 페인트와 낡은 자물쇠는 시간이 지나면서 쌓인 이야기들을 담고 있는 것만 같다. 이 문을 열면 어떤 세계가 펼쳐질까?
오늘도 우리는 새로운 시작을 맞이한다. 이 녹색 문은 우리에게 기회의 문이 되어줄 것이다. 문을 열기 전에는 두려움과 불안이 있을 수 있지만 용기를 내어 손잡이를 돌리는 순간 새로운 희망과 가능성의 세계가 펼쳐진다.
어쩌면 이 문 너머에는 우리가 꿈꿔왔던 것들이 기다리고 있을지도 모른다. 작은 변화와 새로운 시작은 언제나 두려움을 동반하지만, 그 끝에는 분명 밝은 미래가 있을 것이다.

오늘 하루 작은 용기를 내어 새로운 문을 열어보세요. 그리고 그 문 너머에서 당신을 기다리고 있는 행복과 희망을 발견하시길 바랍니다.

기분 좋은 하루 보내세요.

손잡이가 고장난 문을 고치다가 낡은 문이 멋져 사진을 찍음

제53화. 출근 버스 안에서

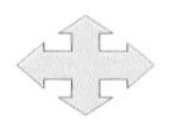

바쁜 아침 버스 창밖으로 보이는 도로는 출근길에 오른 많은 차로 가득하다. 하지만 버스 안에서 바라보는 이 풍경은 어느새 우리에게 평온함을 선사한다. 운전기사의 손길에 의해 부드럽게 나아가는 버스는 우리를 목적지로 인도한다.
버스 안의 정겨운 풍경 속에서 우리는 잠시나마 여유를 느낄 수 있다. 창문 너머로 보이는 맑은 하늘과 햇살이 어우러져 오늘 하루가 밝고 희망차기를 소망하게 만든다.
우리의 일상은 때로는 반복되고 지루하게 느껴질 수 있지만 이렇게 작은 여정 속에서도 새로운 발견과 즐거움을 찾을 수 있다. 버스 안의 풍경처럼 우리의 삶도 그 속에서 작은 행복을 찾아가는 여정일 것이다.

오늘 하루 평범한 일상에서도 작은 기쁨과 희망을 발견하시길 바랍니다. 그리고 그 여정 속에서 느껴지는 소소한 행복이 여러분의 하루를 더욱 빛나게 하기를 바랍니다.

행복한 하루 보내세요.

출근 시간 서울로 가는 광역버스 안에서

제54화. 아침의 즐거움

매일 아침 출근길에 오르는 발걸음은 익숙한 거리와 풍경 속에서 반복되지만, 오늘도 새로운 하루가 시작됨을 느끼게 한다.
그중에서도 특히 눈에 띄는 장면은 바로 외국의 관광객들이 죽집 앞에서 아침 식사를 기다리며 줄을 서 있는 모습이다.
여행자들의 얼굴에는 기대와 설렘이 가득하다. 이들은 새로운 문화와 맛을 경험하며 하루를 시작할 준비를 하고 있다. 이들의 하루는 이미 작은 기쁨과 행복으로 가득 차 있다.
이 풍경을 보며 우리는 문득 일상의 소중함을 깨닫는다. 매일 지나치는 익숙한 장소도 누군가에게는 특별한 추억이 될 수 있다.
또한 새로운 것을 경험하고 즐기는 이들의 모습은 우리에게도 작은 용기와 희망을 불어넣어 준다.

오늘 하루 일상에서도 새로운 즐거움을 찾아보세요. 그리고 그 작은 행복들이 모여 당신의 하루를 더욱 빛나게 하기를 바랍니다.

행복한 하루 보내세요.

명동을 여행하는 외국인들이 아침 식사를 위해 줄 서고 있다.

제55화. 배려의 버튼

시내버스 안의 작은 버튼 하나가 오늘도 우리에게 따뜻한 감동을 선사한다. 장애인과 일어서기 어려운 사람들을 위해 높이와 위치를 고려한 두 개의 하차 버튼이 자리하고 있다. 그 작은 배려는 우리가 서로를 얼마나 생각하고 있는지를 말해준다.
버스 안에서 창밖을 바라보며 이 버튼을 보게 되면 우리 사회가 점점 더 나아지고 있다는 생각이 든다. 작은 변화가 큰 차이를 만들고 그 변화가 누군가에게는 큰 도움이 될 수 있음을 느끼게 한다. 또한, 그 배려의 마음이 우리 모두에게 전해져 하루를 조금 더 따뜻하게 만들어 준다.

배려가 모여 우리의 세상을 더욱 밝고 희망차게 만들어 줄 것입니다. 오늘도 서로를 배려하는 마음으로 기분 좋은 하루를 보내시길 바랍니다. 작은 것에서부터 시작되는 희망이 여러분의 하루를 더욱 빛나게 하기를 바랍니다.

행복한 하루 보내세요.

시내버스 안에 하차 버튼 2개가 위, 아래 붙어 있다.

제56화. 따뜻한 골목길의 배려

이 좁은 골목 언덕길은 마치 우리 일상의 작은 축소판 같다. 사람들을 위한 배려가 곳곳에 스며있어 이곳을 지나는 모든 이들에게 따뜻함을 전해준다. 계단과 자전거를 위한 경사로 그리고 그 옆에 정성스럽게 가꿔진 꽃밭까지 모든 것이 조화를 이루고 있다.

힘든 언덕을 오르며 잠시 숨을 고를 때 눈에 들어오는 꽃들의 아름다움은 피곤한 마음을 달래준다. 누군가의 작은 손길이 모여 만들어진 이 공간은 우리의 마음을 따뜻하게 하고 하루를 살아가는 힘을 불어넣어 준다.

이 골목길을 통해 우리는 작은 배려의 힘을 다시금 느끼게 된다. 서로를 생각하며 만들어진 공간에서 우리는 행복과 희망을 찾을 수 있다.

하루를 시작하는 이 순간 이 작은 골목길에서 느껴지는 따스한 감정이 여러분의 하루를 더욱 밝고 기분 좋게 만들어 주기를 바랍니다.

행복한 하루 보내세요.

삼양동 골목길

제 57 화. 활기찬 아침의 시장

아침 햇살이 아직 채 퍼지기 전 이른 시간부터 광장시장은 활기로 가득하다. 시장 상인들은 하루를 시작하며 손님들을 맞이할 준비로 분주하고 이른 아침부터 맛있는 음식을 찾아 나선 사람들은 벌써 시장의 매력을 만끽하고 있다.
시장은 사람들의 삶이 고스란히 녹아있는 공간이다. 한 명 한 명의 상인들은 저마다의 이야기를 품고 있으며 그들의 노력과 열정이 고스란히 담겨 있다. 손님들과 따뜻한 대화 속에서 전해지는 정은 시장을 더욱 특별하게 만든다.
이 활기찬 풍경 속에서 우리는 작은 행복을 발견한다. 아침의 신선한 공기와 함께 전해지는 따뜻한 미소, 정성스럽게 준비된 음식들 그리고 서로를 배려하는 마음들이 모여 우리의 하루를 더욱 풍성하게 만들어 준다.

오늘 하루도 이렇게 활기차고 행복하게 시작하시길 바랍니다. 작은 것에서부터 행복을 느끼고 그 행복이 여러분의 하루를 밝게 비추기를 바랍니다. 시장의 따뜻한 기운을 가슴에 담아 기분 좋은 하루 보내세요.

출근길 아침 7시 30분 광장시장의 풍경

제58화. 아침의 이발소 거리

파고다 공원의 이발소 거리는 아침 일찍부터 분주하다. 이발 요금이 6,000원이라는 간판 아래 이른 시간부터 손님들이 머리를 깎고 있는 모습은 우리의 일상 속 작은 풍경이지만 그 안에는 깊은 이야기와 정성이 담겨 있다.
이발소 거리의 풍경은 우리에게 많은 것을 상기시킨다. 하루를 시작하는 사람들의 분주한 움직임, 작은 공간에서 이루어지는 따뜻한 소통 그리고 정성스럽게 머리를 손질하는 이발사들의 손길이 모든 것이 어우러져 우리의 일상에 따뜻함을 더해준다.

아침 7시 여전히 어둑한 거리를 지나며 마주한 이 장면은 삶의 소박한 아름다움을 느끼게 한다. 이발소에서 시작되는 하루는 새로운 시작을 의미하며 그 속에서 우리는 서로를 돌보고 배려하는 마음을 발견한다.

오늘 하루도 이렇게 정성과 배려로 가득 찬 시간이 되기를 바랍니다. 작은 것에서 행복을 찾고 그 행복이 우리의 하루를 밝게 비추기를 바랍니다. 이발소 거리의 따뜻한 기운을 가슴에 담아 기분 좋은 하루 보내세요.

파고다 공원 이발소 골목

제59화. 감동의 순간 전태일 동상 앞에서

아침 출근길 동대문 평화시장을 지나며 만난 전태일 동상은 그 자체로도 많은 이야기를 담고 있다. 하지만 오늘은 특별히 그의 손에 놓인 작은 꽃다발이 우리의 마음을 움직인다. 누군가의 따뜻한 마음이 전해져 이곳에 꽃을 두고 간 모습은 전태일의 정신을 기리고자 하는 마음을 잘 보여준다.
전태일 동상 앞에서 우리는 잠시 걸음을 멈추고 생각에 잠기게 된다. 그의 희생과 헌신이 있었기에 오늘의 우리가 있을 수 있다는 감사함이 밀려온다. 그에게 전해진 작은 꽃다발은 단순한 꽃 이상의 의미를 지닌다. 그것은 우리가 잊지 않고 기억하고 있다는 증거이자 그의 정신을 이어가고자 하는 다짐이다.

우리는 다시금 삶의 소중함과 서로를 위한 배려의 중요성을 느낍니다. 오늘 하루도 전태일의 희생을 기억하며 작은 것에서부터 서로를 배려하는 마음으로 가득 채워 보세요. 그의 동상 앞에서 느껴지는 따뜻함과 감동이 여러분의 하루를 더욱 의미 있게 만들어 주기를 바랍니다.

행복한 하루 보내세요.

동대문 평화시장 앞 전태일 동상에 꽃다발이 놓여 있다.

제 60 화. 아침의 작은 온기

이른 아침 지하철역 입구에 자리 잡은 작은 가게들은 분주한 출근길을 더욱 따뜻하게 만들어 준다. 아직 해가 완전히 뜨지 않은 시간에도 가게 안에서는 따스한 빛이 흘러나오고 다양한 먹거리들이 사람들을 기다리고 있다.

바쁜 일상에서 아침을 챙기지 못한 사람들을 위해 문을 연 이 가게들은 그 자체로 큰 배려와 사랑의 표현이다. 간단한 먹거리일지라도 이곳에서 제공되는 음식들은 출근길의 피로를 잠시나마 잊게 해주고 새로운 하루를 시작할 힘을 불어넣어 준다.

이 작은 가게들은 단순한 먹거리를 넘어 우리의 하루를 더욱 풍요롭게 만들어 준다. 아침의 추위 속에서도 따뜻한 온기를 전해주는 이 가게들의 모습은 우리에게 서로를 배려하는 마음의 중요성을 다시 한번 일깨워 준다.

오늘 하루도 이 작은 온기와 배려를 느끼며 시작해 보세요. 바쁜 일상에서도 작은 행복을 찾고 그 행복이 여러분의 하루를 더욱 밝고 희망차게 만들어 주기를 바랍니다.

기분 좋은 하루 보내세요.

동대문 역사공원역 입구 따뜻한 가게

제61화. 기다림 속의 희망

이른 아침 사람들이 줄을 서서 출근 버스를 기다린다. 내 앞사람까지 버스를 타고 떠나고 나만 남아 다음 버스를 기다린다. 이 순간, 마치 대학 입시를 앞둔 긴장감과 비슷한 기분이 든다. 버스를 타면 합격한 것 같고 못 타면 떨어진 것 같은 기분. 그 특별한 순간을 사진에 담아 본다.
버스를 기다리며 서 있는 이 자리, 발끝에서 시작되는 작은 화살표는 희망을 향해 나아가는 길을 가리키고 있다. 이 기다림의 시간은 때로는 길고 지루할 수 있지만, 그 끝에는 분명히 새로운 시작이 기다리고 있다.
출근길의 작은 일상에서도 우리는 많은 감정을 느낀다. 기다림의 시간은 우리에게 인내와 희망을 가르쳐 준다. 다음 버스를 기다리며 우리의 삶도 끊임없이 나아가고 있다는 사실을 깨닫게 된다.

비록 지금은 기다림의 시간일지라도 그 끝에는 분명히 새로운 기회와 행복이 기다리고 있을 것입니다.

기분 좋은 하루 보내세요.

출근 버스를 기다리는 버스정류장 노란 선이 대입 합격선 같다.

제62화. 골목의 작은 신비

아침 출근길 좁은 골목길에 주차된 차들이 눈에 띈다. 어떻게 이 좁은 길을 지나 주차했을까? 계단 위에 있는 차는 어떻게 올라갔을까? 이 작은 신비는 일상에서 작은 놀라움을 선사한다.
골목길의 풍경은 마치 퍼즐 같다. 각기 다른 조각들이 모여 하나의 그림을 완성하듯 이곳에서의 삶도 다양한 이야기와 조화롭게 어우러져 있다. 한적한 골목길에서도 우리는 이러한 작은 기적들을 발견할 수 있다.
우리는 일상에서 작은 놀라움과 신비를 찾는 즐거움을 느낀다.

바쁜 일상에서도 가끔은 멈춰 서서 주변을 둘러보세요. 그리고 그 속에서 발견하는 작은 기적들이 여러분의 하루를 더욱 행복하게 만들어 줄 것입니다.
오늘도 이 골목길처럼 우리의 일상에서 작은 신비와 희망을 찾아가는 하루가 되기를 바랍니다.

기분 좋은 하루 보내세요.

삼양동 골목길 주차된 차들이 멋지다.

제63화. 도심 속의 징검다리

퇴근길 청계천을 가로지르는 징검다리를 건너는 사람들의 모습은 도심 속에서 마주한 작은 여유의 순간이다. 바쁜 일상에서도 이렇게 징검다리를 건너며 잠시나마 자연과 함께하는 시간을 가질 수 있다는 것은 큰 축복이다.
징검다리를 건너는 발걸음은 삶의 여정을 상징하는 듯하다. 한 걸음 한 걸음씩 천천히 그러나 꾸준히 나아가는 모습은 우리에게 중요한 깨달음을 준다. 인생도 이와 같아서 빠르게 달려가기보다는 한 걸음씩 차분하게 나아가는 것이 때로는 더 큰 의미를 가질 수 있다.
이 도심의 징검다리는 단순한 돌멩이가 아니라 우리에게 소중한 시간을 선물한다. 물 위에 비친 반영은 우리의 현재를 되돌아보게 하고 그 속에서 새로운 희망을 찾게 한다.

도심 속에서도 자연과 함께하는 순간을 소중히 여기며 기분 좋은 하루를 보내세요. 여러분의 발걸음마다 행복과 희망이 가득하기를 바랍니다.

청계천 징검다리를 건너는 사람들

제64화. 경복궁의 속삭이는 빛

깊은 밤의 벨벳 같은 어둠 속에서 경복궁은 꿈의 캔버스로 변한다. 은은한 조명이 경복궁을 부드럽게 감싸며 고요함과 경이로움의 그림을 그린다. 외국인 방문객들의 실루엣이 순간을 포착하며 그들의 웃음과 기쁨이 보이지 않는 이야기를 공기에 새긴다.
그들이 경이로움 속에 서 있을 때 궁전은 역사와 희망의 이야기를 속삭이며 그들을 이 시간을 초월한 공간에 묶어준다.
사진 속 흐릿한 움직임은 생명과 연속성을 상기시키며 우리가 일시적인 존재일지라도 우리의 경험과 감정이 시간과 공간을 넘어 우리를 연결해 준다는 것을 상기시킨다.

당신에게 현재의 기쁨과 내일의 희망을 불어넣기를 바랍니다. 여기 담긴 사람들처럼 순간순간을 경이로움과 흥분으로 받아들이고 경복궁의 속삭이는 빛이 당신을 더 밝고 충만한 하루로 인도하기를 기원합니다.

퇴근길 경복궁의 야경

제65화. 일상의 특별한 시선

하루하루 반복되는 일상에서 우리는 종종 익숙함에 묻혀 그 소중함을 잊곤 한다. 그러나 때로는 이렇게 단순한 커피 한 잔을 위에서 내려다보는 작은 시선의 변화만으로도 새로운 의미를 발견할 수 있다.
빨간 손잡이가 인상적인 이 커피잔은 아침을 여는 한 모금의 따뜻함과 하루의 시작을 알리는 쏠쏠한 즐거움을 담고 있다. 매일 마주하는 커피 한 잔이지만 그 속에는 매번 다른 향기와 맛 그리고 새로운 생각들이 숨어있다.

당신의 하루에도 작은 변화의 시선을 더해보세요. 익숙함 속에서 특별함을 찾는다면 일상도 더욱 빛나고 기분 좋은 하루를 맞이할 수 있을 것입니다. 매일 똑같은 것 같지만 그 안에 숨겨진 새로운 만남과 경험을 통해 희망과 행복을 느낄 수 있기를 바랍니다.

위에서 내려본 커피잔

제66화. 일상의 에스컬레이터

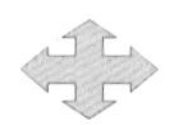

출근 시간 비어 있는 에스컬레이터를 타고 내려가는 모습은 마치 의무감에 짓눌린 우리의 일상을 상징하는 듯하다. 매일 반복되는 길 가고 싶지 않은 길을 향해 자동으로 움직이는 발걸음은 때때로 우리의 마음을 차갑게 만든다.
그래도 따뜻한 희망의 빛을 발견할 수 있다.
에스컬레이터는 비록 기계적이지만 그 끝에는 새로운 하루가 기다리고 있다. 아무도 없는 이른 아침의 지하철역은 우리에게 잠시의 고요와 여유를 선물한다. 이 시간을 통해 우리는 스스로를 돌아보고 하루를 시작할 준비를 할 수 있다.

고요 속에서 작은 희망을 찾기를 바랍니다. 비록 의무적으로 내려가는 길일지라도 그 끝에서 당신을 기다리는 것은 새로운 기회와 가능성입니다. 오늘도 그 가능성을 향해 한 걸음씩 나아가기를 그리고 그 속에서 기쁨과 행복을 발견하기를 바랍니다.

명동역 지하철 타러 가는 길

제67화. 명동역 아침의 안식

명동역 인근의 아침 시장 골목을 순찰하는 경찰들의 모습이 우리의 일상을 지켜주는 든든한 보호막을 떠올리게 한다. 반짝이는 형광색 조끼와 당당한 걸음걸이는 우리에게 안전과 안심을 선물해 준다.
매일 바쁜 출근 시간 무심코 지나치는 거리의 풍경 속에서 우리는 사람들의 노고와 헌신 덕분에 평온한 하루를 보낼 수 있다. 경찰들이 순찰하는 이 모습은 그들의 수고를 새삼 깨닫게 하며 감사의 마음을 갖게 한다.

오늘 하루도 당신에게 안전과 평안이 함께하기를 바랍니다. 명동의 아침처럼 밝고 활기찬 하루를 보내며 우리를 지켜주는 사람들에게 고마움을 느끼는 작은 행복을 누리기를 바랍니다.

아침 출근길 명동역 인근 경찰들의 순찰하는 모습

제68화. 을지로의 아침 깨끗한 시작

이른 아침 을지로의 골목길을 정성스럽게 청소하시는 분들의 모습은 하루의 시작을 빛나게 한다. 그들의 수고와 헌신 덕분에 우리는 매일 아침 깨끗한 길을 걸으며 기분 좋게 출근할 수 있다. 반짝이는 형광 조끼와 부지런히 움직이는 손길이 이른 아침의 공기를 상쾌하게 만든다.
환경미화원의 모습은 단순한 노동이 아닌 우리의 일상을 지탱해주는 중요한 역할을 상기시켜 준다. 그들의 보이지 않는 헌신이 있기에 우리는 더 나은 환경에서 살아갈 수 있다. 그분들에게 감사의 마음을 전합니다.

오늘 하루도 이 아침의 풍경 속에서 작은 희망과 기쁨을 느끼길 바랍니다. 깨끗하고 상쾌하게 시작하며 당신을 위해 수고하는 사람들에게 감사하는 마음을 가지기를 바랍니다. 을지로의 아침처럼 맑고 환한 하루가 되기를 기원합니다.

사람들이 출근하기 전에 도시를 깨끗하게 청소해 주시는 분

제 69 화. 청계천의 따뜻한 아침

청계천 인근의 작은 가게 이른 아침부터 불을 밝히고 있는 이 모습은 출근하는 직장인들을 향한 부모님 같은 주인의 따뜻한 응원과 배려를 담고 있다. 부모님 같은 주인은 새벽부터 분주히 준비하며 자식 같은 직장인들이 출근길에 허기를 채울 수 있는 다양한 음식을 손수 만들어 놓았다. 그 정성과 노력은 바쁜 일상에서도 우리의 마음을 따뜻하게 해 준다.
매일 같은 길을 걷는 직장인들에게 이 작은 가게는 한 줄기 빛과 같은 존재이다. 힘든 하루를 시작하기 전 잠시 멈춰 서서 따뜻한 음식과 함께 부모님 같은 주인의 환한 미소를 마주하면 그 순간만큼은 세상의 모든 걱정이 잊힌다.

오늘도 많은 이들이 작은 행복을 찾길 바랍니다. 청계천의 이른 아침처럼 당신의 하루도 따뜻하고 희망차기를 바랍니다. 새로운 하루를 응원하는 작은 가게의 모습에서 우리의 일상이 얼마나 소중하고 감사한지 다시 한번 느껴보세요.

청계천 인근 따뜻해 보이는 가게

제70화. 광장시장의 웃음소리

광장시장의 아침은 일찍부터 시작된다. 출근 시간 전 이른 새벽부터 따뜻한 음식을 준비하는 손길들이 분주히 움직인다. 그 손길들은 새벽에 일하는 사람들, 아침에 퇴근하는 사람들 그리고 아침에 출근하는 사람들을 맞이하며 각자의 이야기를 담은 한 끼를 대접한다.
이른 아침 시장 속에서 서로 다른 길을 걷는 이들이 만나고 소통하는 모습은 참 따뜻하고 기분 좋다. 김이 모락모락 나는 음식들 사이로 오가는 정겨운 대화와 웃음소리는 하루의 시작을 활기차게 만들어 준다. 서로의 일상을 응원하며 나누는 이 작은 순간들이야말로 우리의 삶을 더욱 풍요롭게 한다.

오늘 하루를 밝고 기분 좋게 시작하길 바랍니다. 광장시장의 따뜻한 아침처럼 당신의 하루도 따뜻한 소통과 행복으로 가득하기를 바랍니다. 이 작은 순간들이 모여 우리의 삶을 더욱 빛나게 하니까요. 활기찬 하루, 희망찬 하루가 되기를 기원합니다.

아침 출근 시간에 만난 광장시장의 바쁜 모습

제 71 화. 서울의 밤 흔들리는 빛들

서울의 야경은 마치 한 폭의 추상화 같다. 불빛들은 흔들리고 도시의 소음은 멀리서도 들려온다. 정신없이 바쁜 하루를 보낸 도시의 모습이 이 사진에 고스란히 담겨 있다. 일상에 치여 분주하게 살아가는 우리의 머릿속처럼 서울의 밤도 복잡하게 흔들리고 있다.
그러나 이 흔들림 속에서도 우리는 아름다움을 찾을 수 있다. 각기 다른 색의 불빛들이 모여 만들어 내는 야경은 우리의 삶이 비록 혼란스럽고 복잡할지라도 그 속에서 반짝이는 희망과 꿈을 발견할 수 있음을 알려준다.

서울의 밤처럼 복잡한 하루 속에서 작은 빛을 발견하기를 바랍니다. 흔들리는 불빛 속에서 아름다움을 찾아내듯 오늘 하루도 작은 행복과 희망을 찾기를 기원합니다. 도시의 혼란 속에서도 마음의 평화를 느끼며 밝고 기분 좋은 하루를 보낼 수 있기를 바랍니다.

퇴근길 북악팔각정에서 바라본 서울의 야경

제72화. 서울의 빠른 속도 뜨거운 열정

서울의 밤거리를 질주하는 빨간 시티투어버스는 이 도시의 활기와 열정을 상징한다. 빠르게 달리며 서울 곳곳을 보여주고 자랑하는 이 버스는 우리에게 서울의 아름다움을 새롭게 발견하게 한다. 불빛이 반짝이는 거리, 지나치는 사람들 그리고 그 속에서 움직이는 버스는 이 도시의 살아있는 에너지를 느끼게 해 준다. 바쁜 일상에서도 잠시 멈춰 이 버스를 바라보면 그 안에는 서울을 탐험하고 즐기는 사람들의 설렘과 기쁨이 가득하다.

오늘 하루도 당신의 삶에 새로운 속도와 열정이 더해지기를 바랍니다. 서울의 밤처럼 반짝이는 희망을 품고 기분 좋은 하루를 보내세요. 이 도시는 언제나 새로운 발견과 즐거움으로 가득 차 있으니 그 안에서 행복을 찾기를 바랍니다. 밝고 활기찬 하루가 되기를 기원합니다.

서울 시내를 열심히 달리는 시티투어버스

제 73 화. 기도하는 마음

아침 7시 명동성당의 고요한 공간에는 사랑하는 이들을 위해 기도하는 사람들의 따뜻한 마음이 가득하다. 높이 솟은 천장과 아름다운 스테인드글라스가 빛을 받아 성당 안은 신성하고 평화로운 분위기로 가득 찬다.
이른 아침부터 성당에 모여 기도하는 이들의 모습은 참으로 감동적이다. 그들의 진심 어린 기도는 주변을 밝히는 따뜻한 빛이 되어 함께 있는 사람들에게 희망과 평안을 전해준다. 서로를 위해 기도하는 마음은 우리를 더 가까이 이어주고 세상을 조금 더 따뜻하게 만든다.

오늘 하루도 당신의 삶에 작은 희망과 따뜻한 순간들이 함께하기를 바랍니다. 명동성당의 이른 아침처럼 당신의 하루도 사랑과 평화로 가득 차기를 기원합니다. 기도하는 이들의 마음처럼 당신도 소중한 이들을 위해 마음을 전하고 밝고 기분 좋은 하루를 보내시길 바랍니다.

아침 7시 명동성당에서 기도하는 사람들

제 74 화. 새로운 시선의 발견

호수공원의 산책로 비가 온 뒤 고요한 물 위에 비친 풍경을 90도 회전시켜 찍은 이 사진은 일상의 아름다움을 새롭게 발견하는 시선을 담고 있다. 우리가 매일 마주하는 환경도 조금 다른 각도에서 바라보면 전혀 새로운 모습과 매력을 드러낸다.
반영된 모습은 마치 하나의 예술 작품처럼 대칭과 균형을 이루며 신비로운 분위기를 자아낸다. 익숙한 산책로가 마법처럼 변하는 순간 우리는 평범한 일상에서도 특별함을 찾을 수 있다. 이 작은 변화는 우리의 삶을 더욱 풍요롭게 만들며 새로운 가능성을 열어준다.

오늘도 당신의 삶에 새로운 시선을 더해보세요. 똑같은 일상에서도 다르게 바라보면 그 속에서 새로운 아름다움과 기쁨을 발견할 수 있습니다. 호수공원의 이 반영 사진처럼 당신의 하루도 새로운 시선으로 바라보며 행복한 희망을 찾기를 바랍니다.

기흥 호수공원의 비온 뒤 반영 사진을 촬영해 90도 회전시킨 풍경

기흥 호수공원의 산책로를 비 온 뒤 촬영한 반영 사진

제75화. 호수공원의 또 다른 아름다움

비 온 뒤 호수공원 산책로에 고인 물에 비친 풍경은 또 다른 세상을 보여준다. 카메라를 낮춰 물에 반사된 모습을 담으니, 두 개의 세계가 만나는 신비로운 장면이 펼쳐졌다. 평범한 산책로가 아닌 꿈속을 걷는 듯한 느낌을 주는 이 장면은 우리가 얼마나 아름다운 곳에 서 있는지를 깨닫게 한다.
산책하는 사람들의 모습과 그들의 반영이 만들어 내는 대칭은 완벽한 조화를 이루며 자연과 인간이 하나 되는 순간을 담아낸다. 비 온 뒤 맑아진 공기와 고요한 호수 그리고 그 속에서 느껴지는 평화로움은 우리의 마음을 따뜻하게 감싸준다.

오늘도 당신의 하루가 새로운 시선으로 가득하기를 바랍니다. 매일 같은 길을 걷더라도 그 속에서 새로운 아름다움을 발견할 수 있기를 바랍니다. 호수공원의 반영된 풍경처럼 당신의 삶도 빛나고 아름다운 순간들로 채워지기를 기원합니다.

호수공원을 산책하는 사람들

제76화. 빛의 회전

놀이동산에서 돌아가는 관람차를 셔터 속도를 길게 눌러 촬영한 이 사진은 우리가 일상을 바라보는 시각을 차이를 보여준다. 평범한 관람차가 빛과 시간의 흐름 속에서 화려한 예술 작품으로 변신하는 순간 우리는 전혀 다른 풍경을 마주하게 된다.
이 사진은 우리가 만나는 사람들과 일상의 풍경들을 어떻게 바라보느냐에 따라 그 아름다움이 얼마나 달라질 수 있는지를 일깨워 준다. 고정된 시선에서 벗어나 새로운 시각으로 세상을 바라볼 때 우리는 더 많은 아름다움을 발견하게 된다..

오늘도 당신의 일상이 새로운 빛으로 빛나기를 바랍니다. 주변 사람들과 풍경을 새로운 시선으로 바라보며 그 속에서 숨겨진 아름다움을 발견할 수 있기를 바랍니다. 빛의 회전처럼 당신의 하루도 화려하고 다채로운 순간들로 가득 채워지기를 기원합니다.

삽교천 해상공원 관람차

카메라의 셔터 속도를 길게 눌러 다르게 바라본 사진

제77화. 밤하늘을 밝히는 작은 불씨

세계불꽃 축제의 밤 어둠을 가르며 솟아오른 작은 불꽃 하나가 하늘 높이 팡 터지며 거대한 불꽃으로 변신한다. 그 작은 불씨는 보이지 않는 곳에서 시작되어 마침내 하늘을 수놓는 아름다운 불꽃으로 도시를 밝히며 우리의 마음에 희망을 전해 준다.
이 불꽃은 우리의 꿈과 희망과도 같다. 비록 처음에는 작고 보잘것없어 보일지 몰라도 꾸준히 노력하고 열정을 더해가면 결국 그 꿈은 커다란 빛을 발하며 우리의 삶을 환하게 비추게 된다. 어둠 속에서도 빛을 잃지 않는 불꽃처럼 우리의 희망도 어떤 어려움 속에서도 꺼지지 않기를 바란다.

오늘도 당신의 마음속 작은 불씨가 커다란 불꽃으로 피어나길 기원합니다. 불꽃이 밤하늘을 밝히듯 당신의 꿈과 희망이 세상을 밝히는 빛이 되기를 바랍니다. 밝고 기분 좋은 하루를 보내며 그 속에서 작은 행복을 발견하길 바랍니다.

2022년 서울 세계불꽃 축제

제78화. 호수에 반영된 꿈의 불꽃

호수공원에서 열린 불꽃 축제의 밤 호수에 반사된 불꽃은 더욱 웅장하고 아름다웠다. 하늘 높이 터진 불꽃이 호수에 고스란히 비치며 그 빛은 꿈처럼 내 마음속까지 스며들었다. 호수를 건너 불꽃이 내가 있는 곳까지 빛이 닿아 마치 불꽃이 나에게 더 가까이 다가오는 듯한 느낌을 받았다.
불꽃은 우리의 희망과도 같다. 비록 먼 곳에서 터지지만, 그 빛은 우리에게까지 닿아 희망과 기쁨을 전해준다. 호수에 비친 불꽃처럼 우리의 꿈도 반사되어 더 큰 빛으로 돌아오기를 바란다.

오늘도 당신의 삶에 작은 희망과 행복이 반짝이길 바랍니다. 호수에 비친 불꽃처럼 당신의 하루도 아름답게 빛나기를 기원합니다. 호수공원의 이 아름다운 밤처럼 당신의 하루도 찬란한 순간들로 가득 채워지기를 바랍니다.

기흥 호수공원 불꽃 축제

기흥 호수공원 불꽃 축제

기흥 호수공원 불꽃 축제

기흥 호수공원 불꽃 축제

기흥 호수공원 불꽃 축제

기흥 호수공원 불꽃 축제

기흥 호수공원 불꽃 축제

정영호 사진작가

정영호 사진작가는 5년 전 평생교육원에서 사진을 공부하기 시작하면서 DSLR 카메라를 처음 만졌다. 그리고 그때부터 지금까지 가난한 행복을 카메라에 담기 위해 항상 가방에 DSLR 카메라를 가지고 다니며 대한민국 구석구석을 여행하면서 따뜻하고 사람 사는 풍경을 카메라에 담고 있다.

정영호 사진작가는 사회복지사다. 사회복지사로 일하면서 가난해질까 봐 불안한 사람들과 가난해서 불행하다고 생각하는 사람들의 행복한 삶을 위해 일하고 있다. 그리고 사진을 공부하면서 독거노인, 장애인, 저소득 가정의 부부 등 생활이 어려운 사람들을 만나 아름다운 미소를 찾아주고 있다. 자신의 웃는 모습을 보지 못한 사람들을 위해 당신이 얼마나 아름다운 사람인지 아름다운 미소를 카메라에 담아 멋진 액자로 선물해 줘 행복한 삶을 응원하고 있다.